자유, 행복,
그리고 투쟁

부크크

별빛달빛 프로젝트 01

자유, 행복,
그리고 투쟁

민경선

시인의 말

아득하고 아련했던 젊은 날에
어둠이 드리우지만
자유와 행복만은 잃지 않겠다고
몸부림치는 청춘靑春의 이야기

마음이 힘에 겨울 땐
이 시詩를 하나씩 덜어내 읽어본다

2024년 7월 민경선

| 차 례 |

1부 자유 _ 자유의 여신상

2부 행복 _ 더 이상 울지 않는 소년

3부 투쟁 _ 초연

Outro

1부

자유 _ 자유의 여신상

감정 실체

따듯한 아메리카노에 몸을 실어
감정을 그려본다

두근거리는 심장, 흔들리는 눈빛,
그 생각의 모서리

어떤 향기일까
어떤 모양일까

그려보고 지워낸다
색을 고르고 칠해본다
붙여보고 떼어낸다
향을 고르고 한 방울 떨군다

이렇게 생겼을까
이런 모양일까
이런 향기일까

감정의 실체는 자유를 향해간다

비행

삶에 진한 향기 내고 싶은 그대여

그대는 지금 어디로 가십니까
어디쯤 왔습니까

나는 누군가 나를 부르는 곳이 아닌
내가 가고자 하는 곳으로 가고 싶소

순수한 어린 왕자가 있고
가시가 있는 장미꽃이 있고

사막처럼 고요한
별빛이 은하수처럼 쏟아지는

산과 들이 푸르른

높은 곳에 서서 낮은 곳을 바라보며
홀가분히 경이로움을 만끽할 수 있는
그런 곳

바로 그곳으로 가는 중이오

네 글자

사랑한다

사랑한다

사랑한다

열정을

파도를

타들어갈 햇빛을

쉬고 싶지 않아 계속 달리고파

작열灼熱하는 모래밭

너의 심장을 빼앗아 질주해

그리고 네 글자를
전한다

사랑한다

날개 생채기

너는 형체가 없었어 그런 너에 대해 더 알고 싶었어 너를 마주하고 싶었어 그래서 너를 향해 달렸고 내 모든 것을 걸고 부딪쳤어 모든 날개를 펼쳐 공중을 항해했고 환희의 비행으로 많은 곳을 누볐어 그리고 젊은 날에 돌아온 건 너를 향유한 값에 대한 대가였어 너를 만난 건 잠깐이라 생각했고 그저 힘차게 날갯짓을 했을 뿐이었어 그러다 날개에 생채기가 생겼어 잠시 멈추고 나를 돌아봤어 왜 날개를 다쳤을까 언제부터 아팠을까 생각의 퍼즐은 맞춰지지 않았어 그저 상처가 쓰라릴 뿐이었어 그런데 눈물이 났어 생채기가 아픈 까닭인지 원인이 아픈 까닭인지 가늠할 수가 없었어 앞으로도 날고 싶지만 점점 더 두려

워지는 이유는 날개 때문일까 정비를 했지만 새 날개랑은 다르니까 걱정이 앞서지만 어제는 쉬지 않고 날았다면 이제는 서서히 날아야겠지 낮게 날아야겠지

조금 더 가까이 볼 수 있을 거야
조금 더 자세히 볼 수 있을 거야
조금 더 깊이 이해할 수 있을 거야

그래서 나는 너, 자유와 계속 함께 할 수 있을 거야

아픔 또한 가득 감싸 안고

계속해서 이 길을 가려고 해

운명애, 아모르파티

운명을 사랑하다 보면
지금을 살다 보면
바뀔 수 있다고 생각한다
운명이

지금 내게
거친 비난이 야유가 견디기 힘들지만

운명을 사랑하다 보면
운명과 살아가다 보면
바뀔 수 있다고 생각한다
운명이

그건 나의 자유이고 자유 향연이고

아모르파티*, 운명을 사랑하다 보면
나의 자유가 만개하는 순간이,
그 역사가

바로 내 앞에 성큼 다가와 있다

**아모르파티(Amor fati)*: (라틴어) 자신의 운명을 사랑하라

멀어진다

멀어지고 멀어지고
멀어진다

날이 저물어 가고
바람이 불고

갈대숲 갈색 갈대가
휘익 휘익 소리를 내며
좌우로 흔들거린다

멀어지고 멀어지고
멀어진다

마침내

떠나보내고

노을 진 하늘 구름만이

함께 한다

자유 복구

자유가
침해되었을 때의 느낌은

절망적이다
삶의 의지가 꺾인다

소망이 끊어지고
속박되고
침울해진다

자유가 있는 곳으로
떠나야 한다

내가 온전히 나일 수 있도록
격려하고
치유하기 위해

고장 난 나를 고치기 위해
잠깐의 쉼이라도
필요한 이유

죽은 나를
다시 살리는
길이기에

나를 살려 주변을 살리기 위해

자유의 여신상

한겨울 추위 속에
페리를 타고 바다를 건너
엘리스 아일랜드에 도착했어

다리가 길고 희뿌연 갈매기가
나와 눈이 마주쳤어

무엇이 날 이곳으로 이끌었을까

이곳은 자유가
살아 숨 쉬는 곳

자유가 곧 법인 나라

그 곁에 희망이 동행하는 곳

그곳에서
자유를 숨죽여 외쳤어

다시
자유를 목 놓아 외쳤어

다시
자유를 온몸 다해 외쳤어

자유를 얻기가
쉽지 않음을 깨달았기에

자유(liberty)라는 글자 앞에서

자유를 외치고

또 외쳤어

U 세계

알을 깨고 나오듯 U 집합을 뚫고 나오니 A와 B 세계가 존재했어요 A와 B 집합은 교집합이었고 A는 선善이고 B는 악惡이었어요 두 길은 평행선을 이루다 어느 순간 교차했어요 계속해서 선일 수도 계속해서 악일 수도 없이 뫼비우스의 띠처럼 선과 악의 사이를 뱅글뱅글 돌아가며 살아가요 어느 세계의 길을 가든 자유이지만 악은 자유를 파괴破壞하니까 U 세계를 둘러싼 장애물이 많아도 A를 선택했어요

U 세계 밖 우주의 수천억 개가 넘는 별들 중에서 가장 돋보이는 별

북두칠성과 카시오페이아 사이에 있는
변함없이 늘 그 자리에 있어 모든 사람이 바라보는 그 별

북극성을 동경했어요

그런 별이 되어 주변을 더욱 밝게 비춰주기를
누군가의 나침반이 되어주기를

빛이 번지듯 A 세계가 번져나가도록
도움 줄 수 있기를 바라보아요

2부

행복 _ 더 이상 울지 않는 소년

희망의 시

더 이상 아픔이 없기를 고통이 없기를 고난이 없기를

수백 번 수만 번 기도했는데

아직 힘든 마음은 여전히 예민하다
칼에 베인 듯 쓰라리고 아프다

고통 총량의 법칙이 있다더라도
예외 법칙일까

힘들더라도 아프더라도 오늘도 하루는 지나가니까

화를 내봤자 울어봤자 법칙이 작용하지만

희망을 노래하고 싶은 마음
마음에 노래를 켜고 싶은 생각

잘하고 있다 칭찬하고 싶은 마음
온전히 나에게 들려주고 싶은 이야기

바로 희망 이야기

꽃향기

마음에 꽃이 핀다 꽃이 마음에 핀다

왜 그리 아름다운지요
영혼의 향기일까 펜촉의 향기일까

마주하지 않아도 눈으로만 스쳐도 꽃향기가 머릿속에
마음속에 한가득

형형색색 꽃 핀 모습과 그 향기
새소리와 숲속 풀 냄새
흙냄새와 나무 냄새

숨을 한번 크게 쉬고 다시 한번 크게 쉬고

꽃이 마음에 핀다 마음에 꽃이 핀다

어느 여름날

푸르른 산에 소나기가 쏟아지고 세찬 돌풍이 일고 번개가 친 후

비가 그치고 빗방울 맺힌 푸르른 잎사귀가 또르르 물구슬을 떨굽니다

상쾌하고 싱그러운 어느 여름날

꿈을 마음에 가득 담고 개인 하늘을 바라봅니다

꽃내음 실은 여름 바람이 얼굴을 스쳐가

행복이 스쳐가

그리고 잠시 미소 지어 봅니다

더 이상 울지 않는 소년

소년은 눈물이 많았다
매일 울고 또 울었다

고통과 고난은 소년을 그냥 지나가는 날이 없었다

그래서 울고 또 울었다

그런데 언제부턴가 그 소년은 울지 않았어

알아버린 걸까 무슨 일일까

초월楚越이란 게 있잖아

알아버린 거지

논리적인 설명은 할 수 없지만
육감적으로 피부로
알아버린 거지

진정한 기쁨에 대해
행복에 대해

계단을 오르듯 시간이 지나고

몸과 영혼은 성장했고

눈빛은 더욱 강렬해졌다

소년은 더 이상 울지 않는다

별 뜨는 밤에

나와 같은 너와 별 뜨는 밤에

이런저런 얘기를 하고파

오늘은 이런 일이 있었어 저런 일도 있었다 이랬다 저랬다

어휴,

아무 일도 아니야 그냥 넋두리

어휴,

그냥 그랬다는 말이야

해답을 원한 건 아니고

낮에는 태양이 이글이글 타올랐는데

별 뜨는 밤이 되니
모든 게 온순해져 있다

잠잠해져 있다

숲을 걷다

여름 풀숲을 거닐어

촉촉이 젖은 풀잎들 사이에서

우연히 빛나는 너를 만나

그래, 날 따라와 함께 가자
속삭임만으로도 난 좋아 쓸쓸하지 않지

반짝이는 너와 이 숲을 거닐어

거친 나무껍질 사이로 비에 젖은 나뭇잎 사이로

흙 내음 사이로

너와 함께 거닐어
우리 함께 걸어

우주 화성

황량한 화성 어디쯤 붉은 모래 회오리가 인다 그리고 모래바람이 불현듯 내 얼굴을 덮는다 눈에 묻은 모래를 찌뿌둥이 털어내고 아프게 눈물 닦아낸다 고개를 들며 모래 바닥 사이에 핀 이끼들을 희미하게 바라보는데 이끼들이라도 반겨주니 다행이다

허우적허우적 걸어가다 시냇물 흘러가는 것이 보이고 가까이 다가가 보니 몇몇 사람들이 보인다 그리고 한 사람이 이렇게 이야기한다

"이곳에서는 강한 긍정만이 살아남아요

새로운 삶을 살고자 하는 사람들이 모였죠

지구에서의 삶은 지치고 지쳤습니다 저희는 이곳에서 토양을 일구고 싹을 틔워서 우리들만의 농장을 가꾸며 다시 시작하려 해요

조금은 시간이 걸리겠지만 더 싱그럽고 생생한 행복을 만들 수 있을 겁니다

미래를 꿈꿀 수 있는 지금도 너무나 행복해요

우리는 그렇게 될 거라고 믿어요

이미 이뤄지고 있죠"

말을 마치는 순간 마치 자연이 대답하듯 시냇물의 맑고 시원한 바람이 스쳐 지나간다

달빛

달빛에 목말라

너를 찾아 헤매

밤낮으로 하늘만 바라본다

둥그런 보름달이 뜨면

(슈퍼문이 뜨면)

네게서 눈을 떼지 못해

해갈하듯 안도한다

금빛 달빛에 기대 눈을 감아봐

꿈을 꾸듯 평화롭다

무지개

마음에 일곱 빛 무지개를 그려 넣자
곧 좋은 일이 일어날 거야

세상이 시키는 대로가 아닌
상상했던 색으로
가지각색의 모양으로

내 무지개가 빛나는 그곳이 보인다

바라보며 흐뭇하게 웃음 짓는다

청정한 숲 위에 물방울 촉촉이 머금은
칠색 무지개

만질 수는 없지만
맛볼 수는 없지만

나는 오늘 행복하다

3부

투쟁 _ 초연

벡터

전쟁과 폭력, 공포 속에
용기는 침탈당했다
권위와 권력에 무참히 짓밟혔다

전염병처럼 인간과 인간 사이에 옮아 퍼졌다
벡터*로 병증이 뒤덮여졌다

되돌리려고

원래의 숭고한 형상으로 돌아가려고 발버둥 치지만

버거워졌다

버려졌다

벡터와 똑같이

빼앗는 사람이 되어야 할까

침략자가 되어야 할까

정의라는 것을 건네며 침범해야 할까

밤하늘을 바라보며

스스로를 치유하고

인간과 인간 사이를 치유하고

그저 말없이

그래도 꿋꿋이

* *벡터(Vector)*: (질병) 매개체

안갯속을 걷다

안갯속을 걷는다
누군지 잘 보이지 않아
모두 얼굴이 희미해

어제도
오늘도
내일도

우린 그저 안갯속을
걷는다
그저
걷기만 하면 된다

가면을 쓴 채
나를 가린 채

어쩌면 그래서

내가 더 잘 보여

내 갈 길이 보여

어제도
오늘도
내일도

우린 그렇게

안갯속을 걷는다

나의 선택

나의 선택을 누가 막을 수 있을까
내가 선택한 의미를 누가 막을 수 있을까

행복하기로 선택하고
혼란스러운 시간을 피하기로 선택한다

가치를 세우고
에너지를 결정하고

타인의 선택이 나의 선택이 되어버리는 것을
경계하고 또 경계한다

나를 둘러싼 공간 가운데

보이진 않지만 빛나고 있는 이 별을 내가 잡는다

내 손안의 영롱한 이 별을

고이고이

간직한다

내몰린다 1

구석에서 구석으로
더 구석으로

내몰린다

내몰리고 또 내몰린다

그 구석에서 더 구석으로

그 끝에서 더 끝으로

끝에서
더 끝에

내몰리고

또 내몰린다

내몰린다 2

내몰린 그 끝에서

숨을 쉴 수도
또 숨소리를 낼 수도 없다

있다 해도 들키고 싶지 않아

나갈 방법을 찾고 또 찾지만

아직
찾지 못했고

두통이 있고 진땀이 흥건해

그냥 그 자리에

풀썩

주저앉는다

초연超然

아무 일도
없었던 것처럼
걸어가자

황량한 모래사막에
차가운 회오리바람이 인 후
태양 아래 다시 뜨거워지듯
아무 일도 일어나지 않았던 것처럼

울창한 숲에
비바람 돌풍이 인 후
고요하고 더 생기로워지듯

아무 일도 일어나지 않았던 것처럼

그렇게
걸어가자

계속 갈망

생각의 발로發露,

거울이 있고

거울에 비친 나를 바라봅니다

생각의 끝 어디쯤

무대가 있고
그곳으로 올라가 중앙에 서 봅니다

내가 생각하는 나는
무대에 서 있는 나는

바로 이 모습이었을까

나는 무엇을 원했을까

청춘을 살다가 거울에 비친 나를
문득 바라보니

내가 진정으로 원한 그런 길로 가고 있는지
과연 무엇을 원했는지

미로 속을 헤매이는 듯 합니다

하지만 계속 갈망하겠다고

계속 갈망하고 싶다고

내 안의 또 다른 내가
속삭입니다

(그리고 메아리칩니다)

사막

우리 함께 걷는 이 길이 사막일지라도
이 시간이 새벽일지라도
이 현실이 고통일지라도

함께 하니까 같이 가니까

두려워 말고 불안해 말고

긍정을 선택할 용기가 필요해
호연지기浩然之氣가 필요해

콤플렉스가 아닌 오직 긍정

빛날 나를 기대하고

과거가 아닌 미래를 기다려

불통不通

심장이 두근두근
핏줄이 불끈

무엇이 옳은지, 무엇이 그른지
알아듣지 못하는 빅브라더

보이지 않는가
들리지 않는가

우리들의 함성소리
우리들의 울음소리
우리들의 비명소리

통곡이 터져 나오고

억울함을 포효하지만

눈물과 울분만이 수북이 쌓인다

당신 앞에 서 있는 것이

보이지 않나요

어떤 표정인지

보이지 않나요

손짓이, 발짓이,

목소리가

보이지도 들리지도 않는 건가요

다시 칠흑

칠흑 같은 밤이
다시 찾아왔습니다

고통을 견뎌야 하는
밤이 왔습니다

요즘은 도무지
펜을 들 수가 없습니다

할 수 있는 말도
하고 싶은 말도 모두
송두리째 빼앗겼습니다

부서지고 또 부서졌습니다
찢기고 또 찢겼습니다

무엇을 세상에 내놓을 수 있을까요
희망을 절망으로 갈라놓은 현실

그럼에도 살아내야 하는 비극

우리는 무엇을 할 수 있을까요
우리는 어떻게 할 수 있을까요

Outro

겹받침

밝은 마음뿐이었어

맑은 하늘 아래서

산기슭 흙 위에 서 있는
젊은 삶 이야기야

훑어보고 읊어보고

떫은 외곬 인생이야

짧은 노랫소리야

넋을 잃고 바라보고

우리 서로 마주하는

값진 생사生死의 변주곡이야

민트유자티

하이얀 거품이 올려져 있는 노오란 민트유자티
거품을 거둬내니 유자즙이 희석된 따듯한 노오란 티가 기다리고 있었어

한 모금을 마시니 민트 맛이 났어
상쾌한 민트 잎 향이 은은히 번졌어 시원하고 청량한 박하 맛이었어
이 여름에 이열치열이 답이지 여름에

두 모금을 마시니 유자를 만났어
쌉싸름하면서 상큼 달달한 맛이 났어 감기를 다 낫게 해줄 맛이었어 한 여름에 감기라

니

노오란 유자즙을 바라봤어 나에게 비타민을 선사했어

유자는 바로 자유였어

세 모금에서야 민트와 유자가 합해진 완전한 맛이 났어

혼자이면 쓸쓸하니까 섞으니 완벽해졌어

바로 시원한 자유였어

강조하는 비율만큼 기분에 따라 기호에 따라 섞어 마시면 되었어

민트민트민트민트민트민트민트민트유자
민트민트민트민트민트민트민트유자유자
민트민트민트민트민트민트유자유자유자
민트민트민트민트민트유자유자유자유자
민트민트민트민트유자유자유자유자유자
민트민트민트유자유자유자유자유자유자
민트민트유자유자유자유자유자유자유자
민트유자유자유자유자유자유자유자유자

상상도 못한 초대에 놀랐어 상큼+달달+쌉싸름+박하

너의 매력에 빠졌어

별빛달빛 프로젝트 01

자유, 행복, 그리고 투쟁

발 행 | 2024년 8월 10일

지은이 | 민경선
편 집 | 단단별
디자인 | 하온

펴낸이 | 한건희
펴낸곳 | 주식회사 부크크
출판사등록 | 2014.07.15.(제2014-16호)
주 소 | 서울특별시 금천구 가산디지털1로 119 SK트윈타워 A동 305호
전 화 | 1670-8316
이메일 | info@bookk.co.kr

ISBN | 979-11-419-0012-0

www.bookk.co.kr